Vera Mohrs | *1984

Katzenmusik
Cat Songs

12 kleine Klaviergeschichten
12 Little Piano Stories

Zum Spielen und Vorles
For playing and reading a

Herausgegeben von / Edit
Monika Twelsiek
Illustrationen von / Illustrations by
Maki Shimizu

ED 20372
ISMN 979-0-001-15160-3
ISBN 978-3-7957-0985-3

Mainz · London · Madrid · New York · Paris · Prag · Tokyo · Toronto

Inhalt / Contents

Vorwort | Preface

Die Geschichte der Freundschaft zwischen Mensch und Katze ist mehr als 3000 Jahre alt. Schon den alten Ägyptern waren Katzen nützliche Jäger gegen die Mäuseplage. Aber auch die Anmut und Schönheit der Tiere begeisterten sie so, dass sie die Katzen als Götter verehrten.
Katzen sind stolze, etwas geheimnisvolle Tiere. Anders als Hunde unterwerfen sie sich dem Menschen nicht. Gerade deswegen werden sie aber von vielen Menschen geliebt.

Von der Beziehung zwischen Katzen und Menschen handeln auch die literarisch-musikalischen Geschichten der jungen Komponistin Vera Mohrs. In einer ganz eigenen Tonsprache erzählt sie in ihrer „Katzenmusik" von rührenden und komischen Begebenheiten: von der vorsichtigen ersten Annäherung, vom wilden und vom schnurrenden Kätzchen, von seinem Drang nach Freiheit und der Sehnsucht nach Geborgenheit.
In einigen Stückchen bildet die Musik den Text realistisch ab: das Fangen der Maus, die flatternde Bewegung des Vögelchens, das wilde Spiel der beiden Kätzchen spiegeln sich in der Musik unmittelbar wider. Andere Stücke fangen die Atmosphäre der Szenen in stimmungsvollen Tonbildern ein: Abenteuerlust und Energie im „Streifzug", Langweile und Trauer im „Katzenwetter", Kälte und Stille in „Pfoten im Schnee".

Die „Katzenmusik" eignet sich zum Vorlesen und Vorspielen als klingende Geschichte für junge Kinder, als Thema von Klassenkonzerten an Musikschulen und zum Lesen und Spielen für alle – auch ältere – Katzenfreundinnen und Katzenfreunde.

Monika Twelsiek

The history of friendship between humans and cats goes back more than three thousand years. Even the ancient Egyptians found cats useful for hunting down plagues of mice – yet they were so taken with the grace and beauty of these animals that they worshipped cats as gods.
Cats are proud, rather mysterious creatures. Unlike dogs, they do not submit to humans – and that is precisely why many people love them.

These narrative musical stories by the young composer Vera Mohrs focus on the relationship between cats and people, too. These 'Cat Songs' use idiosyncratic musical language to describe touching and amusing incidents: those cautious initial encounters, the boisterous and purring kitten, its lust for freedom and longing for the comfort of home.
In some of these little pieces the music depicts the words realistically: catching a mouse, the fluttering movement of a little bird and the boisterous games of two kittens are all directly reflected in the music. Other pieces capture the atmosphere of a scene in evocative musical pictures: energy and the urge for adventure in 'Roaming', miserable tedium in 'Raining cats and dogs', cold and stillness in 'Pawprints in the snow'.

These 'Cat Songs' are suitable for reading aloud and playing to young children as a musical story, providing a theme for children's concerts at music schools, and to be read and played by cat-lovers everywhere – even grown-ups.

Monika Twelsiek
Translation Julia Rushworth

Hallo Kätzchen! | Hallo Kitty!

Timmy ist überglücklich: Zum Geburtstag hat er ein Kätzchen bekommen! Zuerst versteckt sich das schüchterne Tier hinter der Gardine und lugt neugierig hervor. Aber schon bald streicht es um Timmys Beine und schnurrt freundlich.

Timmy is so happy: he has been given a kitten for his birthday! At first the shy creature hides behind the curtain, peeping out inquisitively. Soon it is stroking its fur around Timmy's legs, purring happily.

Vera Mohrs

Das Würstchen | The sausage

Beim Frühstück liest Papa Zeitung. Auf seinem Teller liegt ein leckeres Würstchen. Das Kätzchen sitzt daneben und putzt in aller Seelenruhe sein Fell. Aber ehe Papa sich versieht, sind Wurst und Katze über alle Berge.

Daddy is reading the newspaper at breakfast. There is a tasty sausage on his plate. The kitten sits nearby, calmly preening its fur. Before Daddy has time to react, though, both sausage and cat have disappeared.

Streifzug | Roaming

Manchmal zieht es die Katze in die Freiheit. Dann macht sie lange Streifzüge durch Wald und Wiesen und die Welt gehört ihr.

Sometimes a cat yearns for freedom. Then it ventures out on long forays across forests and fields: the world is its kingdom.

Zwei Katzen spielen | Two cats playing

Wenn die Nachbarskatze zu Besuch kommt, toben die beiden flauschigen Freunde durch den Garten. Sie spielen Fangen, springen und purzeln umher und sind fröhlich.

When the neighbour's cat comes to visit, the two fluffy
friends romp around the garden. They play catch, jump and
tumble about happily.

Arme Maus | Poor mouse

In der Vorratskammer ist ein Mäuschen und knabbert an einem Keks. Die Katze schleicht sich vorsichtig an und fährt ihre Krallen aus. Was passiert dann?

A little mouse is gnawing at a biscuit in the larder. The cat creeps up stealthily and puts its claws out. What happens next?

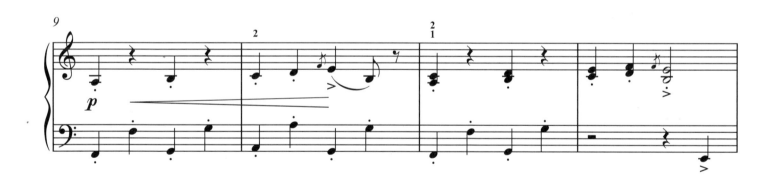

Ein Vögelchen | A little bird

Die Katze entdeckt ein zwitscherndes Vögelchen auf einem Baum. Sie beobachtet es beharrlich und überlegt, wie sie an die Beute herankommen könnte. Unbekümmert singt der Vogel sein Liedchen, flattert von Ast zu Ast und fliegt dann fort in den Himmel.

The cat spies a little bird twittering on a branch, watches it closely and wonders how to get at its prey. Gaily the bird goes on singing, flutters from branch to branch, then flies away up into the sky.

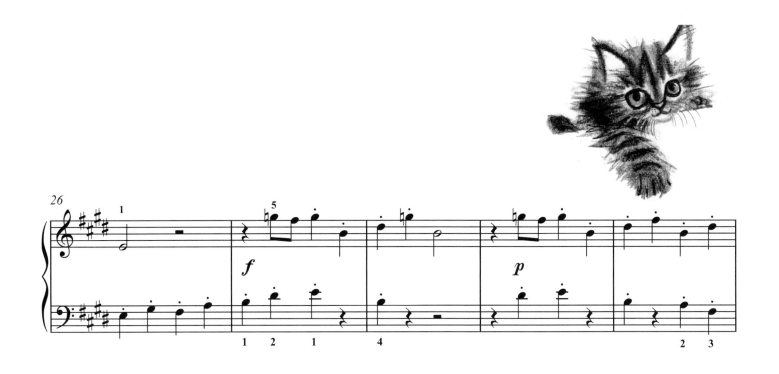

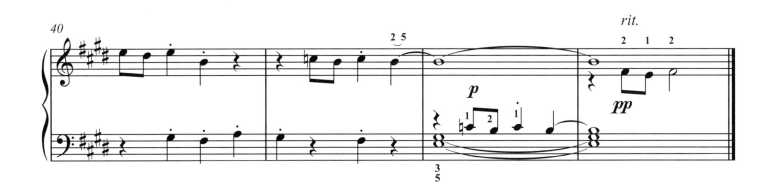

11

Katzenwetter | *Raining cats and dogs*

Draußen regnet es schon seit Stunden. Das Kätzchen sitzt gelangweilt auf dem Fensterbrett und schaut sehnsüchtig hinaus. Hoffentlich scheint bald die Sonne wieder.

Outside it has been raining for hours. The kitten sits on the windowsill, bored, looking out longingly. Let's hope the sun will appear again soon.

Katerblues | Tomcat Blues

„Wie ist dieser große rote Straßenkater bloß auf unser Haus gekommen?", fragt sich das Kätzchen, während es aus sicherer Entfernung beobachtet, wie der Unbekannte lässig auf dem Dach umher spaziert.

'How did that big ginger stray tomcat come to pick on our house?' wonders the kitten, while watching from a safe distance as the stranger casually strolls around on the roof.

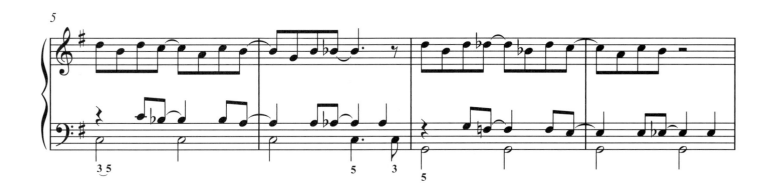

Verliebte Katzen | Cats in love

Schüchtern nähert sich das Kätzchen dem fremden roten Kater, der jetzt draußen am Straßenrand sitzt. Sie miaut zaghaft und streicht schnurrend am Gartenzaun entlang, bis der Kater endlich zu ihr herüberspringt!

Shyly the kitten approaches the unfamiliar ginger tom sitting outside at the edge of the road. She miaows hesitantly and brushes along the garden fence, purring, until at last the tomcat leaps across towards her!

Der neue Drucker | The new printer

Was ist das denn für ein merkwürdiges Etwas, das in der Ecke steht und wie wild brummt und wackelt? Das Kätzchen ist ratlos. Vorsichtig inspiziert es den Apparat von allen Seiten. Als der Spuk vorbei ist, verschwindet es in seinem Körbchen.

What is that strange object standing in the corner, humming and rattling like crazy? The kitten is perplexed. Cautiously it inspects the contraption from every angle. When it has recovered its composure it retires to its basket.

Pfoten im Schnee | Pawprints in the snow

Im Winter, wenn alles schneebedeckt ist, wagt das Kätzchen sich gerne nach draußen. Auf dem frischen Schnee läuft es wie auf Wolken und man kann seiner Spur noch lange mit den Blicken folgen.

In winter, when everything is covered in snow, the kitten likes to venture outside. It runs across fresh snow as though playing among clouds and its tracks can be seen for a long while afterwards.

Schlaf gut, Kätzchen! | Sleep well, Kitty!

Am Abend sitzt das Kätzchen auf Timmys Schoß am Kamin. Es will gestreichelt werden und schnurrt behaglich. Dann schläft es ein.

In the evening the kitten sits on Timmy's lap by the fireside. It likes being stroked and purrs comfortably. Then it falls asleep.

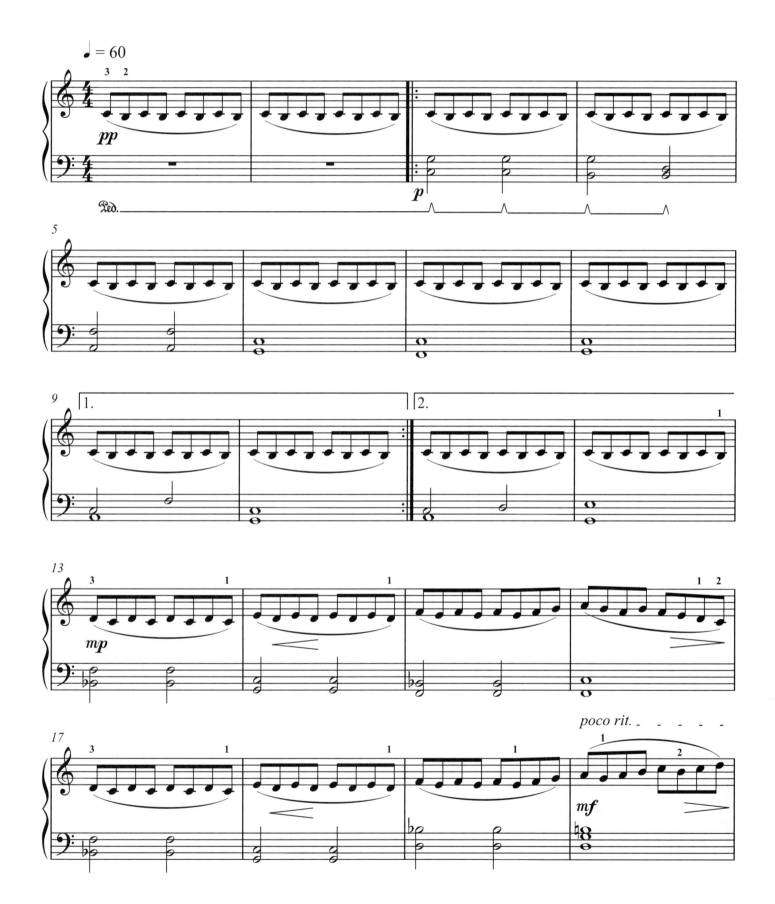